Olivier Dunrea

Regarde la neige, Bébé !

kaléidoscope

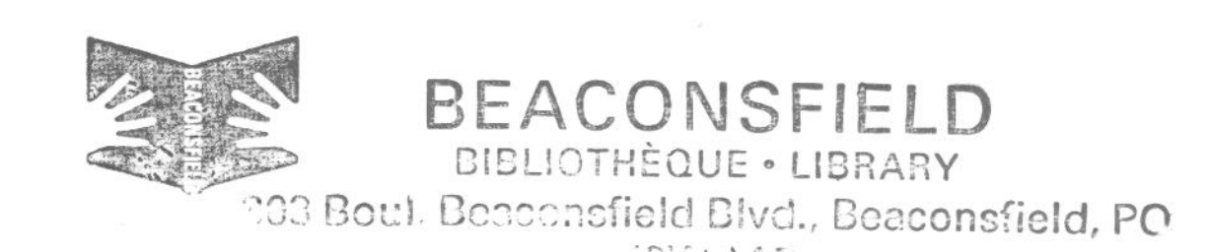

Texte traduit de l'américain par Élisabeth Duval

Titre de l'ouvrage original : IT'S SNOWING !
Éditeur original : Farrar Straus & Giroux, New York

Loi n° 49.956 du 16 juillet 1949 sur les publications
destinées à la jeunesse : septembre 2003.
Dépôt légal : septembre 2003.
Imprimé en France par Pollina à Luçon - n° L90623

www.editions-kaleidoscope.com
Diffusion l'école des loisirs

Pour Jan, qui se souvient
d'une nuit noire et neigeuse à West Chester.

La nuit est noire, noire,
froide, froide.

Maman berce le berceau.
Le berceau berce Bébé.
Bébé s'endort doucement.
Maman soupire et dodeline de la tête.
Bébé soupire et suce son pouce.

La nuit est noire, noire,
froide, froide.
Maman tisonne le feu.
Bébé suçote dans son sommeil.

Maman ouvre la lourde porte.
Des flocons de neige dansent dans le ciel.
"Il neige !" chantonne Maman.
Bébé se réveille et cligne des paupières.
"Bébé, il neige !"

Maman enveloppe Bébé
dans une pelisse bien chaude.
“Bébé, il neige !”
Bébé gigote et se trémousse.

Maman met son manteau.
Elle noue une longue longue écharpe
autour de son cou.
Elle enfile de grosses moufles bien chaudes.
Maman prend Bébé dans ses bras
et sort de la maison.

"Il neige !" chantonne Maman.
Bébé se met à chanter.
"Bébé, regarde la neige !"
Bébé frétille dans les bras de Maman.

"Bébé, sens la neige !"
Bébé inspire profondément.
"Bébé, écoute la neige !"
Bébé retient son souffle.

"Bébé, goûte la neige !"
Bébé ouvre la bouche.
"Bébé, touche la neige !"
Bébé vole dans les airs.

"Il neige !" chantonne Maman.
"Et si on faisait un troll de neige ?"
Bébé sourit et éternue.

"Il neige !" chantonne Maman.
"Et si on dévalait la colline ?"
Bébé rit et babille.

“Il neige !” chantonne Maman.
“Et si on enfourchait notre ours de neige ?”
Bébé tressaille de joie.

"Il neige", dit Maman.
"C'est l'heure de retourner au lit.
Il neige", murmure Maman.
"C'est l'heure de bercer le berceau."
Bébé bâille et dodeline de la tête.

Maman berce le berceau.
Le berceau berce Bébé.
Bébé s'endort doucement.
Maman soupire et dodeline de la tête.
Bébé soupire et suce son pouce.

La nuit est noire, noire,
froide, froide.
Il neige.